Este libro pertenece a

....

Aladino y la lámpara maravillosa / ilustrador Miguel Ángel
    Carhuatocto. -- Editor Javier R. Mahecha López. -- Bogotá :
    Panamericana Editorial, 2012.
    28 p. : il. ; 23 cm.
    ISBN 978-958-30-3934-8
    1. Cuentos infantiles árabes 2. Ladrones - Cuentos infantiles
3. Magia - Cuentos infantiles 4. Historias de aventuras
I. Carhuatocto, Miguel Ángel, il. II. Mahecha López, Javier R., ed.
I892.73 cd 21 ed.
A1330437

    CEP-Banco de la República-Biblioteca Luis Ángel Arango

Primera edición en Panamericana Editorial Ltda.,
marzo de 2012

© 2012 Panamericana Editorial Ltda.
Calle 12 No. 34-30, Tel.: (57 1) 3649000
Fax: (57 1) 2373805
www.panamericanaeditorial.com
Bogotá D. C., Colombia

Editor
Panamericana Editorial Ltda.
Edición
Javier R. Mahecha López
Ilustraciones
Miguel Ángel Carhuatocto
Diseño y diagramación
Rafael Rueda Ávila

ISBN 978-958-30-3934-8

Impreso por Panamericana Formas e Impresos S. A.
Calle 65 No. 95-28, Tels.: (57 1) 4302110 - 4300355. Fax: (57 1) 2763008
Bogotá D. C., Colombia
Quien solo actúa como impresor.
Impreso en Colombia - *Printed in Colombia*

Aladino
y la lámpara maravillosa

Anónimo

Ilustraciones
Miguel Ángel Carhuatocto

PANAMERICANA
EDITORIAL

Érase una vez una viuda que
vivía con su hijo Aladino. Un día, un
misterioso extranjero ofreció al muchacho
una moneda de plata a cambio de un
pequeño favor, y como eran muy pobres
aceptó.

—¿Qué tengo que hacer? —preguntó.

—Sígueme —respondió el misterioso extranjero.

El extranjero y Aladino se alejaron de la aldea
en dirección al bosque. Poco tiempo después se
detuvieron delante de una estrecha entrada que
conducía a una cueva que Aladino nunca antes
había visto.

—Quiero que entres
por esta abertura y me
traigas mi vieja lámpara
de aceite. Lo haría yo
mismo si la entrada no
fuera demasiado estrecha para mí.

—De acuerdo —dijo Aladino—, iré a buscarla.

—Algo más —agregó el extranjero—. No
toques nada más, ¿me has entendido? Quiero
únicamente que me traigas mi lámpara de
aceite.

El tono de voz con que el extranjero le dijo esto último alarmó a Aladino. Por un momento pensó huir, pero cambió de idea al recordar la moneda de plata y toda la comida que su madre podría comprar con ella.

—No se preocupe, le traeré su lámpara —dijo Aladino mientras se deslizaba por la estrecha abertura.

Una vez adentro, Aladino vio una vieja lámpara de aceite que alumbraba débilmente la cueva. Cuál no sería su sorpresa al descubrir un recinto cubierto de monedas de oro y piedras preciosas.

Si el extranjero solo quiere su vieja
lámpara —pensó Aladino— o está loco o
es un brujo.

—¡La lámpara! ¡Tráemela inmediatamente!
—gritó el extranjero impaciente.

—De acuerdo, pero primero déjeme salir
—repuso Aladino mientras comenzaba a
deslizarse por la abertura.

—¡No! ¡Primero dame la lámpara! —exigió
el extraño cerrándole el paso.

—¡No! —gritó Aladino.

—¡Peor para ti! —exclamó el brujo
empujándolo dentro de la cueva. Pero al
hacerlo perdió el anillo que
llevaba en el dedo el cual rodó
hasta los pies de Aladino.

Εn ese momento se oyó un fuerte ruido.
Era el brujo que hacía rodar una roca para
bloquear la entrada de la cueva.

Una oscuridad profunda invadió el lugar,
Aladino tuvo miedo. ¿Se quedaría allí para
siempre? Sin pensarlo, recogió el anillo y
se lo puso en el dedo. Mientras pensaba en
la forma de escaparse, distraídamente le
daba vueltas y vueltas.

De repente, la cueva se llenó de una luz
rosada y un genio sonriente apareció.

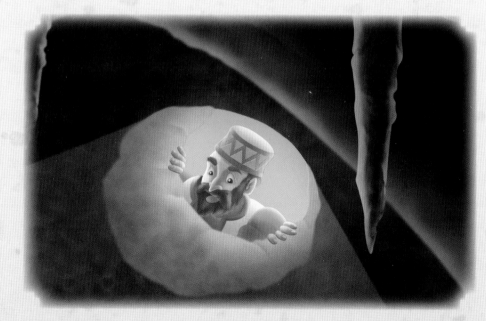

—Soy el genio del anillo.
¿Qué deseas, mi señor? —Aladino
aturdido ante la aparición, solo
acertó a balbuciar:

—Quiero regresar a casa.

Instantáneamente Aladino se encontró
en su casa con la vieja lámpara de aceite
entre sus manos.

Emocionado el joven narró a su madre
lo sucedido y le entregó la lámpara.

—Bueno, no es una moneda de plata
pero voy a limpiarla y podremos usarla.

La estaba frotando, cuando de improviso
otro genio aún más grande que el
primero apareció.

—Soy el genio de la lámpara.
¿Qué deseas? —La madre de Aladino
contemplaba aquella extraña aparición
sin atreverse a pronunciar una
sola palabra.

Aladino sonriendo murmuró:

—¿Por qué no una deliciosa comida acompañada de un gran postre?

Inmediatamente aparecieron delante de ellos fuentes llenas de exquisitos manjares.

Aladino y su madre comieron muy bien ese día y, a partir de entonces, todos los días durante muchos años.

Aladino creció y se convirtió en un joven apuesto, y su madre no tuvo necesidad de trabajar para otros.

Un día, cuando Aladino se dirigía al mercado, vio a la hija del sultán que se paseaba en su litera. Una sola mirada le bastó para quedar ciegamente enamorado de ella. Inmediatamente, corrió a su casa para contárselo a su madre:

—¡Madre, este es el día más feliz de mi vida! Acabo de ver a la mujer con la que quiero casarme.

—Iré a ver al sultán y le pediré para ti la mano de su hija Halima —dijo ella.

Como era costumbre llevar un presente al sultán, pidieron al genio un cofre con hermosas joyas.

Aunque muy impresionado por el presente, el sultán preguntó:

—¿Cómo puedo saber si tu hijo es lo suficientemente rico como para velar por el bienestar de mi hija? Dile a Aladino que, para demostrar su riqueza, debe enviarme cuarenta caballos de pura sangre cargados con cuarenta cofres llenos de piedras preciosas y cuarenta guerreros para escoltarlos.

La madre, desconsolada, regresó a casa con el mensaje. —¿Dónde podemos encontrar todo lo que exige el sultán? —preguntó a su hijo.

—Tal vez el genio de la lámpara nos ayude —contestó Aladino. Como de costumbre, el genio sonrió e inmediatamente obedeció las órdenes de Aladino.

—¡Al palacio del sultán! —ordenó Aladino.

El sultán, muy complacido con tan magnífico regalo, se dio cuenta de que el joven estaba determinado a obtener la mano de su hija. Poco tiempo después, Aladino y Halima se casaron y el joven hizo construir un hermoso palacio cerca al del sultán (con la ayuda del genio, claro está).

El sultán se sentía orgulloso de su yerno y Halima estaba muy enamorada de su esposo, que era atento y generoso.

Pero la felicidad de la pareja fue interrumpida el día en que el malvado extranjero regresó a la ciudad disfrazado de mercader.

—¡Cambio lámparas viejas por nuevas! —pregonaba. Las mujeres cambiaban felices sus lámparas viejas.

—¡Aquí! —llamó Halima—. Tome la mía también, entregándole la lámpara del genio.

Aladino nunca había confiado a su esposa Halima el secreto de la lámpara y ahora ya era demasiado tarde.

El extraño frotó la lámpara y dio una orden al genio. En segundos, Halima y el palacio subieron por el aire y fueron llevados a la tierra del extranjero.

—¡Ahora será mi mujer! —le dijo el extraño con una estruendosa carcajada. La pobre Halima, lloraba desconsoladamente.

Cuando Aladino regresó, vio que su palacio y todo lo que amaba habían desaparecido.

Entonces, acordándose del anillo le dio tres vueltas. —Gran genio del anillo, ¿dime qué sucedió con mi esposa y mi palacio? —preguntó.

—El misterioso extranjero que te empujó dentro de la cueva hace algunos años regresó, mi amo, y se llevó con él tu palacio, tu esposa y la lámpara —respondió el genio.

—Tráemelos inmediatamente, de regreso —pidió Aladino.

—Lo siento, amo, mi poder no es suficiente para traerlos. Pero puedo llevarte hasta donde se hallan. Poco después, Aladino se encontraba entre los muros del palacio del extraño. Atravesó silenciosamente las habitaciones hasta ver a Halima. La estrechó entre sus brazos mientras ella trataba de explicarle todo lo que le había sucedido.

—¡Chist! No digas una palabra hasta que encontremos una forma de escapar —susurró Aladino. Juntos trazaron un plan. Halima debía hallar la manera de envenenar al extraño. El genio del anillo les proporcionó el veneno.

Esa noche, Halima sirvió la cena y le dio el veneno al extraño en una copa de vino que le ofreció.

Sin quitarle los ojos de encima, esperó a que se tomara hasta la última gota. Casi inmediatamente este se desplomó inerte.

Aladino entró presuroso a la habitación, tomó la lámpara que se hallaba en el bolsillo del misterioso extranjero y la frotó con fuerza.

—¡Cómo me alegra verte, mi buen amo! —dijo, sonriendo, el genio—. ¿Podemos regresar ahora?

—¡Al instante! —respondió Aladino, y el palacio se elevó por el aire y flotó suavemente hasta el reino del sultán.

El sultán y la madre de Aladino estaban
felices de ver de nuevo a sus hijos. Una
gran fiesta fue organizada a la cual fueron
invitados todos los súbditos del reino
para festejar el regreso de la
joven pareja.

Aladino y Halima vivieron felices
y sus sonrisas aún pueden verse cada
vez que alguien brilla una vieja lámpara
de aceite.

Fin